● CONTENTS ●

● CONTENTS ●

TOYOTAMA
5

빌어먹을! 너무 높잖아!!

第
国高等
ケットボール選手権大会
JABBA

걱정 말고 뛰기나 해, 이 바보 녀석아!!

송태섭, 이 멍청한 녀석!!
와
大会
＃208 에이스의 증명

우와앗?!

※앨리웁: 골대 위로 패스한 공을 그대로 덩크슛 하는 플레이.

우와….
가라, 백호야!!
이야압!!

나이스
캐치!
이건
천재밖에
잡을 수 없는
볼이야―!!
이얍
휙
쿠웅
역시
천재!!
아―얏?!

※ 일본의 경우 1995년에 개정된 규칙에 의해 패스의 경우는 이런 상태라도 볼을 터치할 수 있다.
즉 앨리웁은 OK이다.

패스가 나빴던 거야. 하마터면 링에 손을 부딪칠뻔 했단 말야!
내가 천재니까 무사히 피할 수 있었던 거야!!
이 멍청한 녀석이!!
그대로 링에 처넣었으면 앨리웁이 성공했을 거 아냐! 내 나이스 패스를 잘도…!!
바둥
바둥
바둥
바둥
바둥
바둥

뭐?
앨리… 웁…?
두두두
두두

디펜스잖아!!
쿵
쿵
아얏!
아얏!

탓
알 수가 없는 놈이야, 저 빨강머리….

하지만 점프력만은 엄청나다….
믿을 수 없을 정도로….

일단은 주의를 해둬야겠어….

끄응…?
앨리웁이 뭐였더라…?

두
두
두
두
자아, 가라! 풍전!!
우왓!!
어딜 감히!!
좋았어, 속공은 막았다!!
잘한다!!
와아아
계속 달려!!
속공이 실패라면 천천히 해라!!
침착하게 한골 성공시켜야해!
!!

우와앗!!
대롱아!!

빨라!!

!!

와앗
골인이다ー!!
잘한다, 나대룡!!
미스매치를 이용당하고 말았군!!
쿠구웅!!
와ー
와ー
와ー
참아야 해…

우왓, 이것 좀 봐!!
와ー
와ー
경태 녀석이 보낸 팩스잖아?!
"특별부록 : 주간 바스켓의 데이터 입수 성공"이라고 써 있는걸.
이걸 보면 저 나대룡이라는 녀석, 지역 예선에서 개인 득점이 3위에 랭크되어 있어.
아직 2학년 이면서도!!
1시합 평균 25 득점이야!!
25점?!
와ー
와ー
와ー

계속계속 넣어드리겠습니다!!
시끄럿ー!!

남훈,
강동준!!
게다가
1위,
2위는….
와
아
예선 득점
1, 2, 3 위를
풍전이
독차지했단
말야?!
역시
A 랭크야!!
아
아
아
TOYOTAMA
学校パ

북 산
19:28
풍 전
23
SEIKO
2ND
33
와
북산도
무모한
팀이군.
점수
쟁탈전이라면
단연 풍전이
앞서.
왜 정면으로
덤벼드는 거지?
와
우와와
좋아, 후반에
들어와서
단숨에
10 점
차이야!!
빨리
끝장내버려!!
이런 빠른
흐름이라면
승리는
우리 것이야!!
PRESS

물론 득점에
있어선
그렇겠지.
하지만….

런 & 건이라면 우리도 지지 않는다!!
뭐라고?!
그래!! 우리 역시 속공을 주무기로 하는 팀이야.
빠른 시합을 제압하는 쪽은 바로 우리라고!!
그런 자신이 있으니까 후반에 와서 정면승부를 하는 거죠?
그렇죠, 선생님!
아뇨….
옛?

단지 우리의 장기인
빠른 속공으로
풍전을 누르지
못한다면….
다음 산왕전에선
무엇을 해도
통하지 않을 거라
생각했기
때문이에요.

멍
……
헉
헉
헉
헉
……
헉
헉
원근감이
잡히질
않지?!
와
와
헉
헉
벤치에 얌전히
앉아 있었으면
좋았을
것을….

헉
패기는 좋지만
이 정면승부…
상당히
위험해.
풍전은 후반전에
빠른 전개가 되자
움직임이 확실히
좋아졌어.
그 효과로
디펜스도
좋아졌다.
봐라,
북산의 속공이
막히고 말았어.
헉

좋아,
잘한다!!
우와와와
나이스
디펜스!!
와
쳇!!
탕
이럴 때 팀을
구해내야 하는 사람은
1학년이면서도
에이스인
서태웅이겠지만….
지금 상태로는
그걸 바랄 수
없어.
헉
헉
북산의
위험
신호다!!

우리나라
최고의 선수란
어떤 선수라고
생각하냐….
뭐?

뭐야…?

헉
아마 팀을
우리나라
최고로 이끄는
선수이겠지.
헉

내가
그렇게 한다.
꿈틀
……!!

한 발자국도
물러설
생각은 없다.

싹

TOYOTAMA
6
7

슛?!
내 특기인 합숙슛을!!
원근감은?!

몸이 기억하고 있다.
아앗, 들어갔어!!
저럴 수가?!
!!
몇백만 개나 쏘아온 슛이다.
와-
와-
뭐어?!
와-
와-
와-
몇백만이라고?!

아마 농구
처음 시작했을
때부터 따지면
그렇게 되겠지…

#209 합숙 슛

이야야압!!
아!!
오오!!
으랏차!
!!

아!!
우와앗!!

비이그르
아니?!
!?
히익
!!

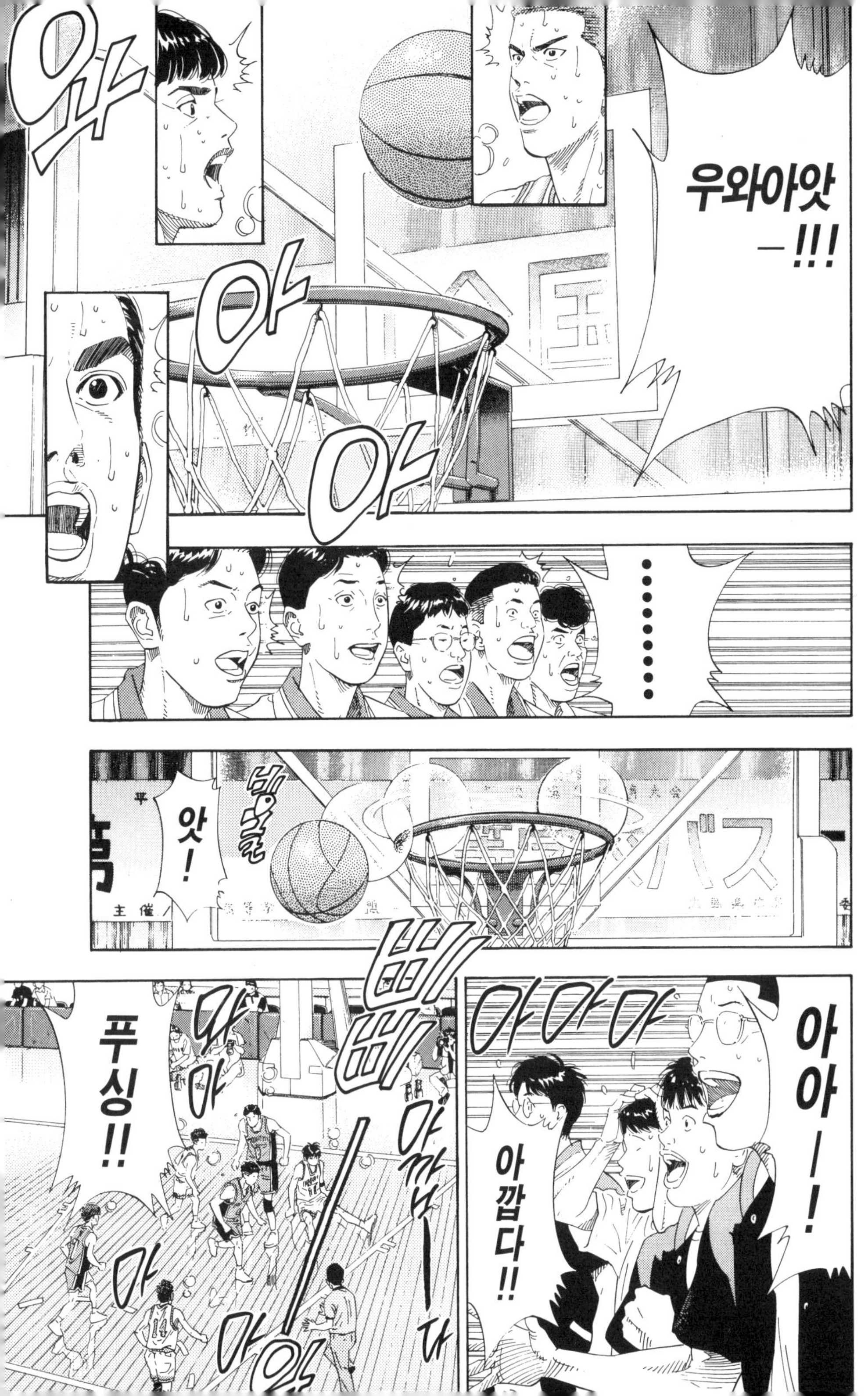

와
아
아
우와아앗―!!!
……
앗!
빙글
아아아
아아―!!
아깝다!!
푸싱!!

와
와
와
술렁
풍전 6번!!
와
웅성
웅성
웅성
웅성
와
아까웠어!!
사실 강한 패스는 잡기 힘들어요.
……!!
원바운드로 패스해주면 고맙겠어요.
……
예.
프리스로!!
…알았어.
와
와
와

웅성
역시 굉장한 녀석이야, 저 녀석!!
웅성
부상은 괜찮은 건가?!
웅성

역시 멋져♡
꺄아아아
지면 안돼♡
아아아
우아아앙♡

와아아아
역시 서태웅, 역시 에이스야!!
부상의 영향도 없어!!
아

좋아, 후반 승부는 이제부터야!

…………

설마….
한쪽 눈이 보이지 않는데 영향이 없을 리가….

나보다 100배라니…?
저 여우 녀석이 어디서 뻥을….
분명 거짓말이야!

탕
탕

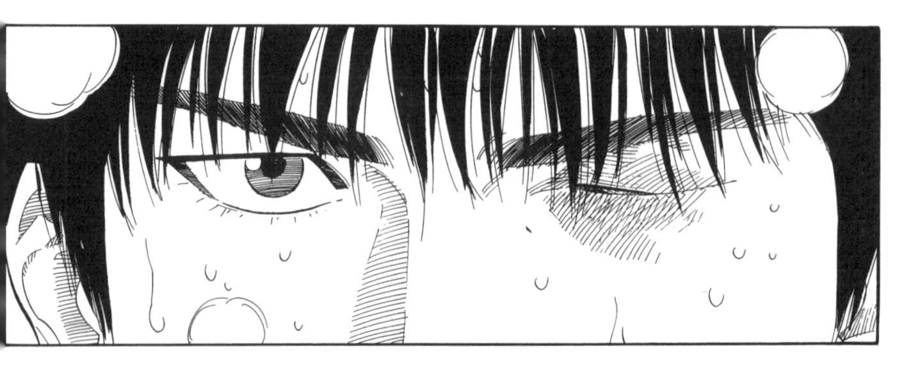

어쩔 셈이지?
거리감이
없을텐데….

高等学校バスケット
JAKKA
30

항상 해왔던 프리스로다. 틀림없이 내 몸이 기억하고 있을 거야
…
몸의 감각을…

믿어라.

스윽...
!!
엉?!
양쪽 눈을 다 감고도 들어갈 거라 생각하는 거냐?! 슛을 뭐라고 생각하는 거야, 이 바보 녀석!!

우왁!!
철
썩
화
륵
용서 못해!!
절대 용서 못해~!!
우와!!
저걸 넣다니!!
후우….
원샷!!
와
와
와
물
물
물
물
물
보여줄테다.

그 지옥의
2만개!!
합숙의
성과를…
보여줄테다!!
어라?!
카
짧아!!
으라차!!
와아
우와,
나이스
리바운드!!

우와앗ㅡ!!
!!
읏샤!!
보여줄테다!!

받아라,
합숙슛!!

으엑!!
탁
야
악
저 멍청한 녀석, 이런 밀집 지역에서 슛을 쏘다니!!
터무니 없는 짓 하지 마!!
우리가 보내야 했던 그 고생의 나날들을 돌려줘!!
저런 바보 멍청이!!
속공이다!!

……
헉
헉
빠르다,
빠르다,
정말
빨라!!
두두두두
오옷!!
우와!!
파앗

와
아
아
성공이다!!
아
아
아
정말 멋진
런 & 건
이야!!
공장해!!
……
……
멍청한 녀석!!
퍼
억
실수다.
이번 슛은
상반신만
사용했어.
헉
헉
무릎부터다,
무릎부터!!
헉
헉

…………
…………
좋아, 괜찮아!! 하나만 넣자!!
와
와
와
하나만 침착하게!!
와
와
와
괜찮아, 백호야! 할 수 있어!!
자신을 가져!!
와
와
눌러버려!!
파
!!
악
탁
악
체치수다. 달라붙어!!
!!

농부
············
타
악
!
!

高等学校バスケットボ
高等学校総合体育大会
(財)日本バスケットボール協会
権大会
SHOHOKU
10

철썩
해냈다ㅡ!!!
우와아아아아
꺄악ㅡ!!

좋아…
그럭저럭 도와준 보람이 있군.
크윽…

#210 북산 추격

백호가!!
와와
점프슛을 성공 시켰어!!
와와
와

북산
18:52
풍전
33
SEIKO
2ND
40
헉
헉
우와
그저 별 것 아닌 보통 슛을 하나 성공시킨 것뿐이잖아.
뭘 저리 놀라는 거야!!
와
와
와
놀랄 만한 일이지.
아
와
아
왜…
왜들 저래?
아

왁
왁
어때요,
영감님?!
헉
헉
왁
백호를 아는
사람이라면
누구라도…!!
왁
불과 1개월 전까진
레이업과
덩크밖에 못했던
풋내기였는데!!
안선생님은
도대체
어떤 마술을
쓴 거지…?!
……………
흐음,
비교적
좋았어요….
슥
헉

철
썩
아자!!
둥지를 떠나는 새끼를 바라보는 어미새의 심정이라고나 할까….
움썽
움썽
움썽
다 우리 덕택이다.
무슨 말 하는 거야?
숫 2만번 이에요.
!!
뭐라고라고라-!!?
이..이 인간-!!
2만으로 부족하지 않을까요?
우와
뭐야-?!

……
헉
헉
헉

훌륭해, 백호야!
고작 일주일이었는데 2만개나….

어미새의 심정이야!!
정말 잘했어…

뭐어, 이제 드디어 보통 사람만큼 하게 된 건가?
아직도 한참 멀었어!!
전혀!!
아니, 그렇게까지는!
뭣이?!

너 시합전의 연습 때는 전혀….
훗훗훗, 숨겨두고 있었지.
놀랐지?

자아,
와라!!
디펜스!!
와
와
와

불과 4개월만에
보통 선수들만큼
하려는 것 자체가
무리한 얘기야.
만 점점
비슷하게는
가고 있어…!!

이 플레이로
북산의 기세가
오른 것은
분명했다.
좋아,
점수차는
몇점이지?!
7점!!

와
으….
와
와
네엣!!
와

!!
훅
좋아,
사정거리다!
第 回全国高等

앗?!
와
!!
아앗―!!
나대룡의
3점슛이다!!
출렁
와
와아아
젠자!!
얼굴에
어울리지
않는 깨끗한
슛폼이야!!
역시
지역 예선
득점 랭킹
3위다워!!
이 녀석,
3점슛도
있었구나!!
와
나이스
슛,
나대룡!!
풍전이
스퍼트를 하기
시작했어.
북산이 과연
따라올 수
있을까?!
……
잘한다,
잘해!
나대룡!
야야
야야
북산 33
풍전 43
2ND HALF 18:44

멍청히 서서
뭐하는 거냐?
나대룡!!
디펜스
하지 못해!!
엥?
오!

아얏!!
빠르다!
어느새
저기까지!!
오옷!!

이게,
어딜 감히!!
휘익
파악
패스?!

척
덤벼봐라, 채치수!!

!!

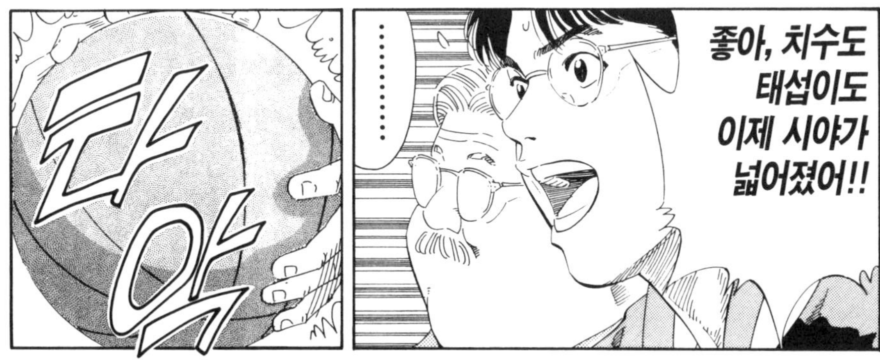
……
좋아, 치수도 태섭이도 이제 시야가 넓어졌어!!

아-앗!
정대만!!
기다리고 있었다, 대만아!!
!!

풍 고등학교 농구
SHOHOKU
14

철
썩!!
들어갔다——!!
대만군!!
좋았어!!
와와
……!!
멋지다, 대만아!!
전반엔 전혀 들어가지 않던 정대만이 드디어!!
대만아아
무어라?!
북 산 36
풍 전 43
2ND HALF 18:39

휙
와 아
북산도
지지 않는걸!!
그래!!
아
퍽
아
좋았어!!
아
아
……
허
허
아
허
허
허
와
와
걸럭

4번
오케이!!
헉
헉
헉
헉
!!

……
헉

헉
헉

!!

남훈,
노마크
찬스다!!

오, 스크린
플레이!!
강동준이
서태웅을
막아주어
남훈이 프리가
되게 하는
플레이군!!
Dr.T의
친절한 해설

!?
응?!

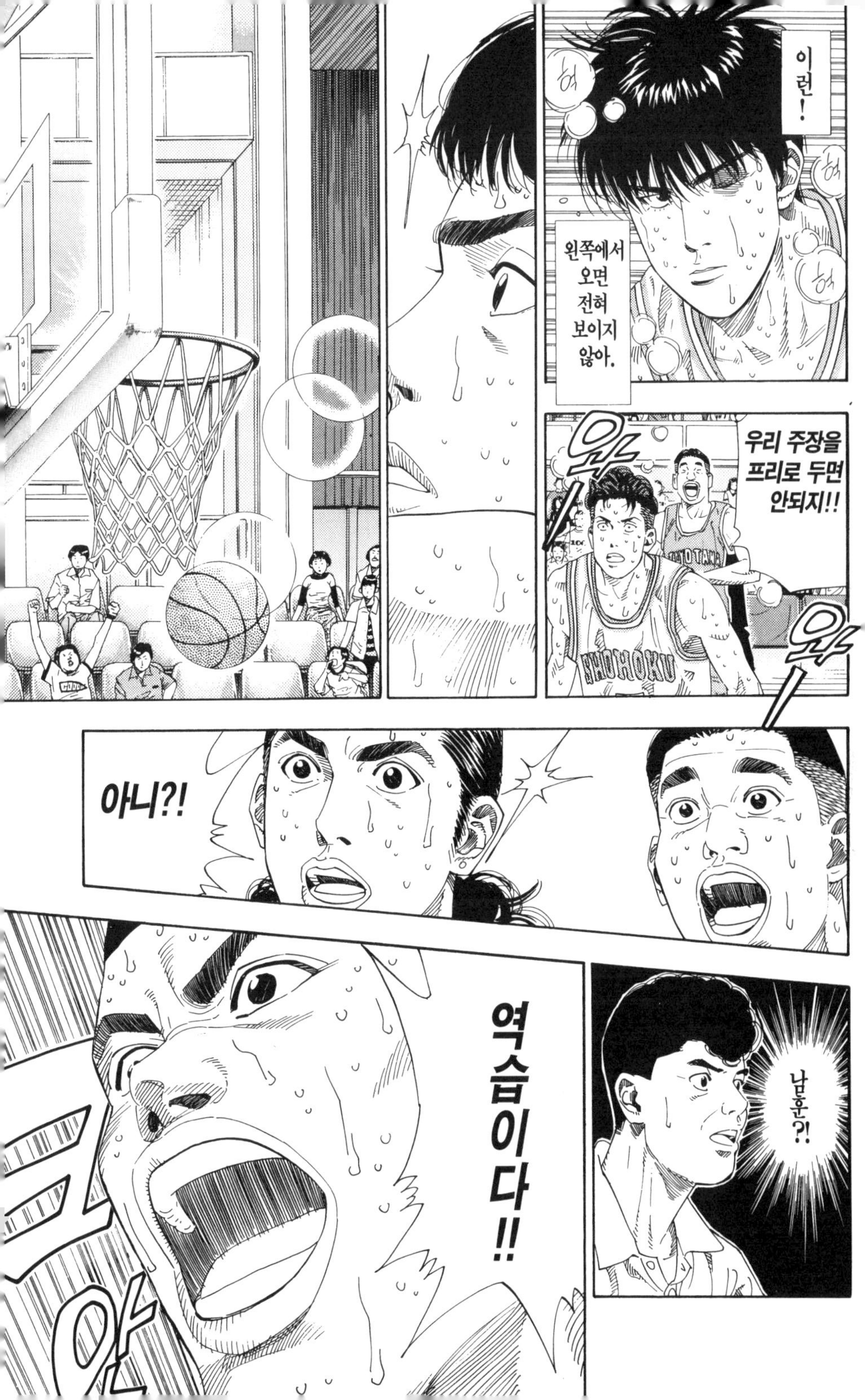

이런!
헉
헉
헉
왼쪽에서 오면 전혀 보이지 않아.
와
우리 주장을 프리로 두면 안되지!!
와
아니?!
남훈?!
역습이다!!

팟
송태섭, 그대로 슛!!
バスケットボー
大会
헉
헉
오늘 최고의 컨디션을 보이고 있는 인사이드의 채치수.
성공이다 ㅡ!!
와아아아아아
북산이 주도권을 잡았다.

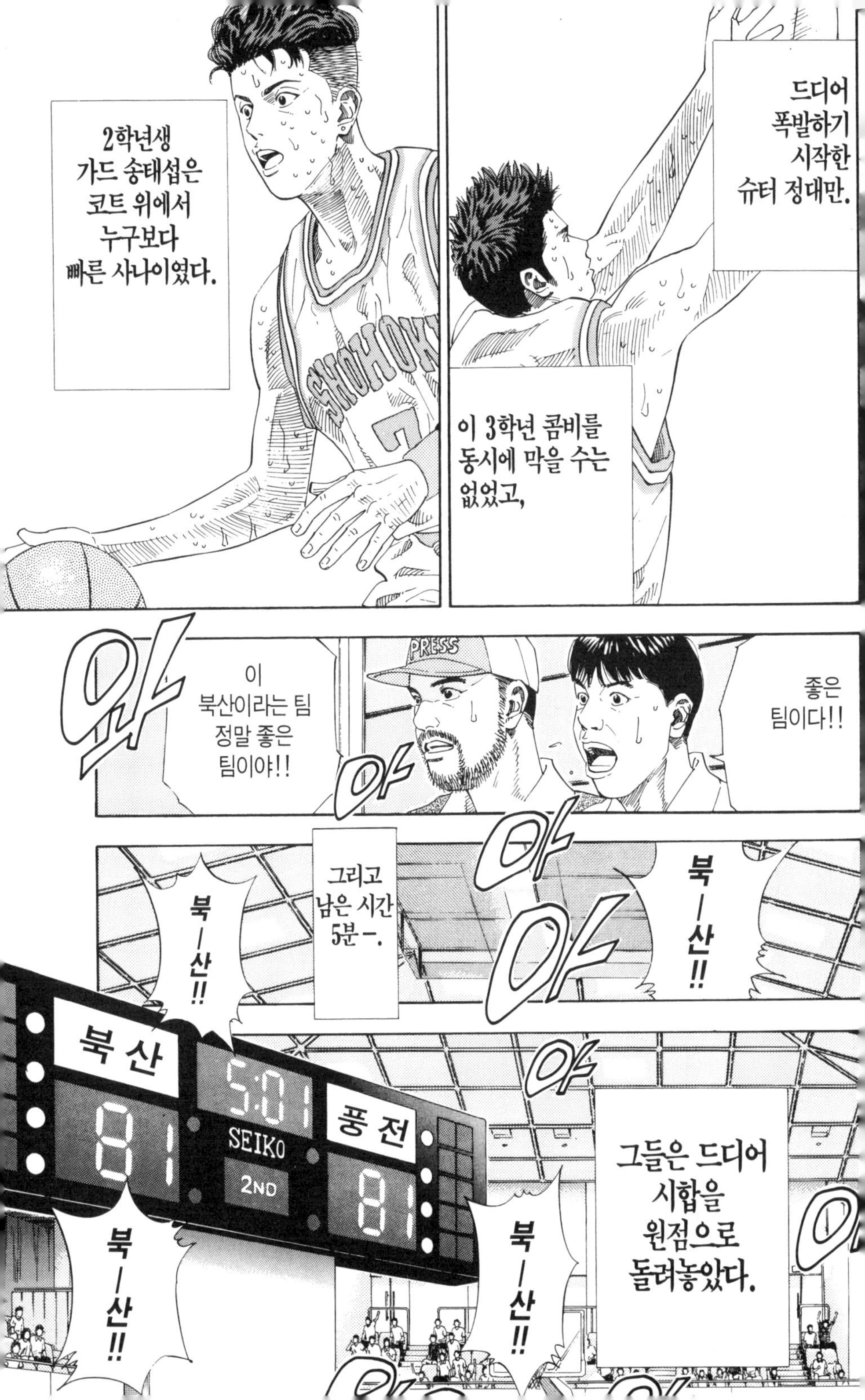
드디어
폭발하기
시작한
슈터 정대만.
2학년생
가드 송태섭은
코트 위에서
누구보다
빠른 사나이였다.
이 3학년 콤비를
동시에 막을 수는
없었고,
SHOHOKU
좋은
팀이다!!
이
북산이라는 팀
정말 좋은
팀이야!!
PRESS
와
아
아
아
북-산!!
그리고
남은 시간
5분-.
북-산!!
북산
5:01
풍전
81
SEIKO
2ND
81
아
그들은 드디어
시합을
원점으로
돌려놓았다.
북-산!!
북-산!!
와

기다렸다
대만아

#211 내부 붕괴

와
야
야
야
야
야
작전타임, 풍전!!
좋아, 잘했어!!
북산
5:01
풍전
SEIKO
81
2ND
81
헉
하아
하아
하아
하아
와
와
5명이 아주 끝내주는 조화를 이루었어!!
헉
헉
헉
헉
헉
헉
이제 한계이지 않니?
이길 수 있어!!
와
와

극단적으로
좁은 시야로
플레이를
하고 있잖아.
체력 소모도
몇배나
심할텐데….
교체할래?
아뇨….
지금의
좋은 흐름을
깨고 싶지
않아요.
교체는
안할
거예요.
지금이 승기를
잡을 수 있는
중요한
순간이잖아요.
그래.
와
풍전은 같은
A 랭크라고 해도
해남 정도는
아냐!!
할 수
있어!!
그 말이
맞아!!
와
와
이대로
계속
밀어붙이자!
네엣!!
와
와

와
하아
와
하아
하아
와
하아
하아
와
와
하아
와
후반에 들어와 전반에 그렇게 잘 들어갔던 남훈의 3점슛이 전혀 들어가지 않게 되었어.
풍전 페이스 다운의 원인은 에이스 남훈의 부진이야. 하지만 왜 갑자기…?!
와
하아
하아
빌어먹을~! 이게 무슨 꼴이야!!
하아
아직 1회전인데!
하아
학
학
학

뭐하는 거야, 남훈?! 마치 딴 사람 같잖아!!
저도 괜찮다는 거야, 뭐야?!
잘 봐! 네가 마크하는 서태웅이 후반에 9점이나 넣었어!!
그 녀석은 한쪽 눈이 보이지도 않아!!
고작 1학년 애송이란 말야!!
그… 그만둬!! 강동준!!
뭐라고?
꿈틀
탁
이거 놓지 못해!
!!
넌 대체 뭐하는 거야? 남훈!!
퍽
억
!!!
……
동준 선배?!
탁
강동준!!

……
!?

오사카의
득점왕이
….
후반
15분 동안
득점
0이라구?!
학
학
학

남훈, 넌
우리 풍전의
에이스야!!
그걸 잊어선
안돼!!
도대체
무슨 생각을
하는 거야!!
……
학
학
학

무엇 때문에
우리가 지금까지
필사적으로
해왔다고
생각하는 거냐?!
이런
곳에서
질
바에야….
학
학
학

그만해,
강동준!! 남훈!!
팀의 기둥인 너희들
두 사람이 서로
싸우면 우리 팀은
어쩌란 말이냐!!
아저씨는
입다물고
있어요.

뭐
?!

당신한테
무슨 말 듣기
싫으니까
조용히 해!!
잉..

努力
部
SHIDA
KOGA
TOYOTA
억
!!

난 네놈들이
증오스럽다!!
아…
너희들!!
아직 내가 살아온
반도 살지 않은
너희들이….
그 돼먹지 않은
태도는 뭐냐!!

……!!

웅성
이봐…
왠지 풍전 벤치
분위기가 심상치
않은 것 같은데…?
웅성

응…?

당신 미쳤군. 시합중…, 그것도 전국대회의…!
넘실
넘실
넘실
…!!
난 어차피 모가지다!!
학교측은 나에게 2년 내에 승부를 내라고 했다.
노감독님이 넘지 못했던 8강의 벽을 깨라고!!
넘실
넘실
努力
넘실
하지만 이번 전국대회로 그 기한은 끝이다.

지는 순간 바로 난 모가지다.
노선생님처럼!!

……

대회가 끝나면 맘대로 하더라도…
지금은 벤치에 있어주지 않으면 곤란해.

이름만이라도 일단 감독은 있어야 한다는 규칙이니까.
뭐라고?!

어쨌든 당신도 노선생님의 반밖에 살지 않았잖아~.
TOYOTAMA
5

웅성
웅성
……!?
웅성
우리팀 완전 엉망진창 이군….
몰랐어…!
………
웅성
뭐야? 내분인가?!
웅성
뭔가 이상해!
웅성
감독이 누굴 때린 모양이야.
웅성
뭐어?
웅성
여기에 주목!
저쪽은 저쪽이고, 우리는 우리다.
아!

남은 시간 5분에 점수차는 없어요.
북산
5:01
SEIKO
2ND
풍전
이제부터 1점이라도 많이 넣는 쪽이 이기는 겁니다.
옛!!
또… 당연한 소리를 하는군…

그러기 위해서는 한 번이라도 더 많은 공격 찬스를 만들고…
상대의 공격 찬스를 줄일 것!

리바운드를
제압하면
이길 수
있어요!

※스크린 아웃: 미리 특정한 장소에 자리잡고 서서 상대가 원하는 위치에 가는 것을 늦추거나 방해하는 것.

좋아, 다들 알았지!!
저쪽이 슛을 쏘면 반드시 노골이라고 생각하고 ※스크린 아웃이다!!
5명 전원이 자신의 마크맨을 확실히 블로킹 해야해!!
전원이야!!
녀석들에게 세컨드 찬스를 주면 안돼!! 자, 가자!!

1·2·3
리바운드!!
차
악
第 回全国高等学校
SHOHOKU
4
10
11
14

……

안돼.
이렇게 팀이
흐트러진
상태론….
대체 어떻게
되는 거야…!!

……

왜 그런 짓을….

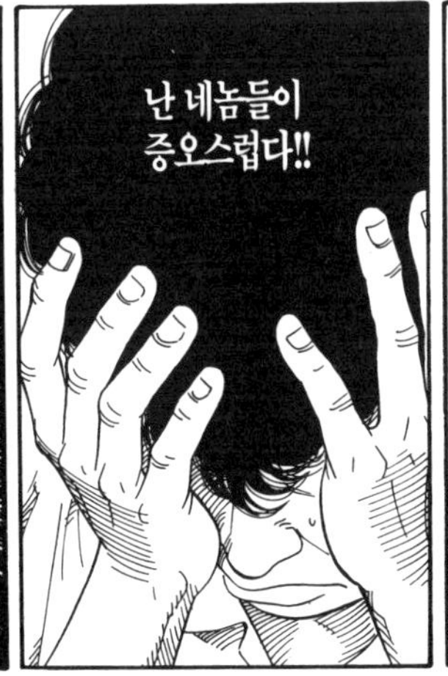
난 네놈들이
증오스럽다!!

상대는 내 반밖에
살지 않은
어린 애들이
아닌가…!!

'에이스 킬러' 도 어쨌건 인간이란 말이군.
확
와
남훈이 흔들리는 원인이 혹시 압박감 때문이 아닐까?
고의든 아니든 자신의 플레이로 북산의 11번이 부상을 입었다….
압박감?
와
와
만일 고의라면 용서받을 수 있는 일이 아냐.
그 11번이 눈이 퉁퉁 부은 채 열심히 플레이를 하고 있다….
와
와
그것이 남훈에게 무언의 압박을 가하는 게 아닐까?!
와
확
일리가 있어.
그만해, 들리겠다.
와

하아
…………
하아
하아
하아

저벅
헉
헉
4번!!
하아
하아
하아
하아
슛이다!!
탁
하아
넌 우리 풍전의 에이스야!! 그걸 잊어선 안돼!
하아
무엇 때문에 우리가 지금까지 필사적으로 해왔다고 생각하는 거냐!!
하아

!!
으윽!!
안돼!!
남훈은 전혀
들어가지
않아!!
좋아,
잘하고
있어!!

리바운드왕 전국 데뷔!
아
우와앗!! 엄청 높아, 저 빨강머리!!
!!
아
와
좋았어!!
속공이다!!
아
하아
하아
노선생님….
하아

아아!!

와-!
와-!
틀렸어!!
이것으로
8개 연속
노골이야!!
에이스
남훈
선배가…!!
남훈….
돌아와!!
돌아와-!!
두
두
두
두
하아
하아
하아
하아

하악
노선생님….
하악
하악
하악
#212 승리를 위해

우와아앗!!
이 녀석 대체…!!
두두
두두둑
패스, 패스, 패스−!!
슛인가?!

!!
와
우와앗!!

!!
바스켓
카운트
원 프리스로!!
삐이익
와아
우와아아아ーー!!
허억
허억
헉
헉
헉
헉

좋아, 잘했다!!
이봐, 이봐! 왜 패스 안하는 거야? 네 놈은!!
시끄러!
공장하다!
북산
풍전
SEIKO
2ND
4:44
83
81
무엇 때문에 우리가 지금까지 필사적으로 해왔다고 생각하는 거냐?!
드디어 역전이야!!
하아
하아
하아
무엇 때문에?!
하아
하아
하아
하아
하아
하아

이사장실
간청인가?

부탁 드립니다.
노선생님이 그만두시다니요….

이제 노선생님도 많이 늙었고….
네?
게다가 경기 스타일도 이미 구식이 돼버렸다.
절대 그렇지 않습니다!!

우리들은 노선생님의 런 & 건 스타일의 농구에 반해 여기 풍전에 온 겁니다.
앞으로 저희들이 반드시….
자네들에게 이런 말은 하고 싶지 않았지만…
학교에서는 농구부에 가장 많은 투자를 해왔다. 충실한 설비에 해외원정까지….
하지만 전국대회 8강 정도로는 신문도 TV도 주목해 주지 않아.
투자하는 의미가 없는 거지….
난 경영자다.

새로 부임한 감독인 김영중이다.
나이는 서른 하나다.
전에 계셨던 노감독님은 어땠는지 몰라도 난 앞으로 너희들을 엄하게 훈련시킬 생각이다. 각오해두도록!!

풍전은 전국 톱 레벨의 공격력이 있으면서도 수비는 수준 이하다.
지금부터는 런&건을 버리고 약점인 디펜스를 강화해 나가도록 하겠다!!
!!

목표는 전국 4강!!
GYM
너희들이 풍전의 역사를 다시 창조하는 거다. 알았나!!
!!

감히 노선생님을 바보 취급 하다니….
당연하지.

녀석이 지껄이는 소린 무시해버려.

지금까지의 스타일로 밀고 나간다.

런&건으로 베스트 4강까지 올라가면 되는 거 아냐!
우리들이 노선생님이 옳았다는 걸 증명해보이자.

그러면 노선생님도 다시 돌아오실 수 있을 거다.
그래.

!!
!!
들어갔다!!
자유투도 넣어버렸어!!
굉장해!!
저 녀석, 엄청난 녀석인걸!!

저…, 정말
괴물 같은
녀석이야.
보이기나
하는
걸까?!
아뇨,
저렇게 부어
올라서야…
보일 리가
없죠.
믿을 수 없어….
하지만….

와
야
야
야
야
야
하악
하악
하악
하악
하악
서태웅이란
녀석은
저런 선수야.

와
아
아
아
플레이로 이렇게까지 사람의 마음을 감동 시키다니….
굉장한 선수다. 11번 서태웅!
눈물이 날 정도야…!!
흥…!
하
하
하
하
와
아
아
아
고작 이까짓 걸로….
오
아
아
아
굉장해, 태웅아….

와
아
아
아
이젠
전국적으로
유명한 선수가
되었어….
헉
헉
헉
헉
아
아
……
하악
하악
하악
하악

'에이스 킬러'도 서태웅만큼은 죽이지 못했군.
와아
하아
아아
하아
아아
하아
아아
하악
오히려 자기 자신이 죄책감으로 무너지고 말았어.
하악
하악

주장…
너무 생각하지 말고 보통 때처럼…
……!!
얼음같이 차가운 눈!
도대체 어쩔 셈이지…?!
탁
잡았다!!
와아!!
앗!!
삐익
풍전 볼!!
이런, 빌어먹을!!
아깝다, 아까워!!
와
와
와

와아아아아아아
완전히 북산의 페이스야!!
풍전은 팀플레이가 되고 있지 않아.
엉망진창이야!!
젠장….
난 네놈들이 증오스럽다!!
하아
하아
그런데도 왜…
!
지기를 바라지 않는 걸까!!
하아
탁
와
大会

……
!!
그건…
너희들이
누구보다도
이기고
싶어한다는 걸
알고 있기
때문이다.

에이스 킬러!
좋아, 가라!

파
앗
!!

남훈의
무리한
슛이다!!
♯213 에이스 킬러의 최후

정면 충돌?!
저 녀석, 제정신이 아냐!!
이번에야말로 서태웅을 완전히 쓰러뜨릴 셈인가!!
흥!
뭐야 이거…
덤벼봐라, 이 바보 같은 놈아!!
!!

농구는
좋아하나?

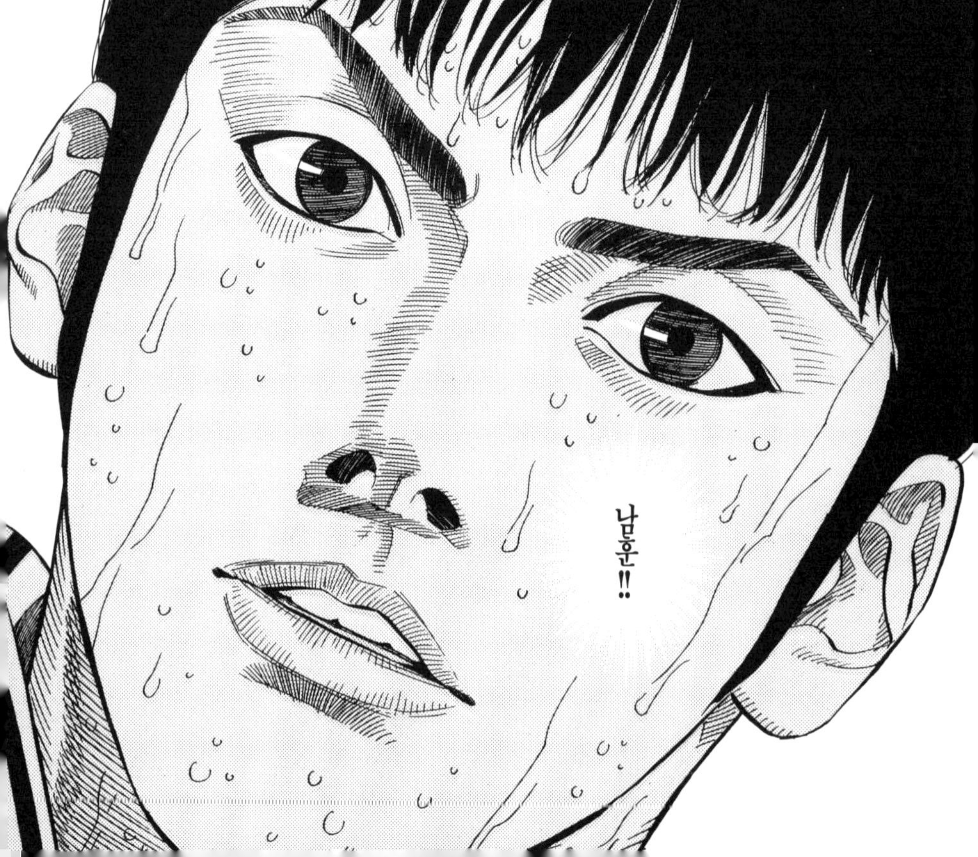
남훈!!

퍼
억

SHOHOKU
10

......!!

우와앗!!!
쿠
당
탕
탕

오펜스
차-징!!

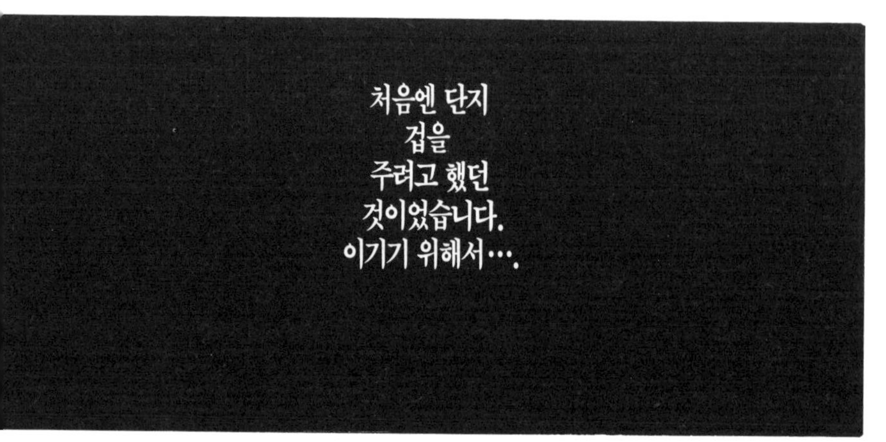
처음엔 단지
겁을
주려고 했던
것이었습니다.
이기기 위해서….

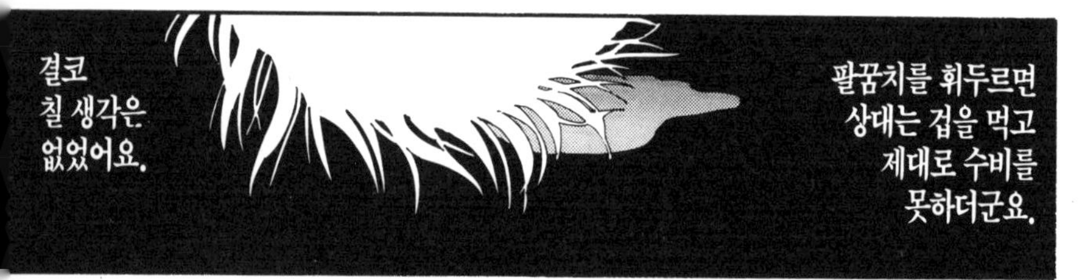
팔꿈치를 휘두르면
상대는 겁을 먹고
제대로 수비를
못하더군요.
결코
칠 생각은
없었어요.

그런데 그게
처음으로
상대에게
맞아버리고
말았어요.
아무리 위협해도
한 발자국도
물러서지 않는
용기를 가진
상대였습니다.
SHOYO

그리고 에이스가
빠진 상대에게
우린
역전승을
했습니다.

에이스가
없었기 때문에
이길 수 있었죠.

나 스스로 정당화
시켰습니다….
우리에겐 승리보다
소중한 건 없었기
때문입니다.

그날부터 내겐
이상한 별명이
붙었어요.

노선생님도
들은 적이
있을지
모르겠네요….

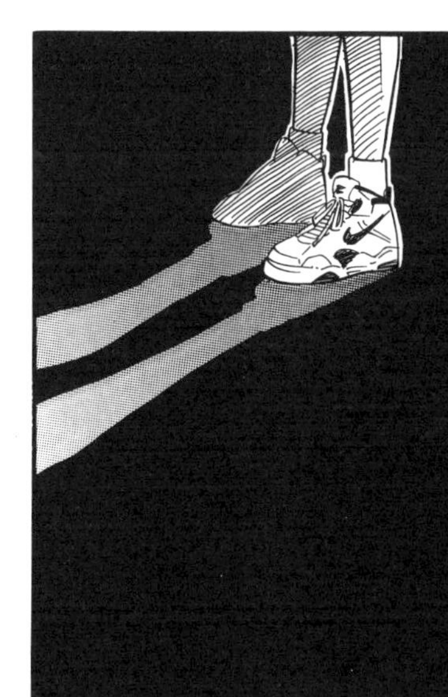

에이스 킬러
남훈….

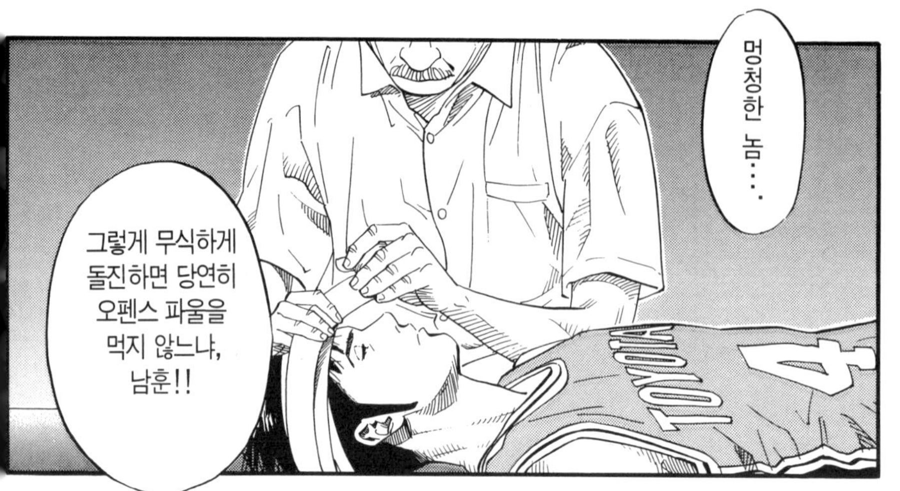
멍청한 놈….
그렇게 무식하게 돌진하면 당연히 오펜스 파울을 먹지 않느냐, 남훈!!

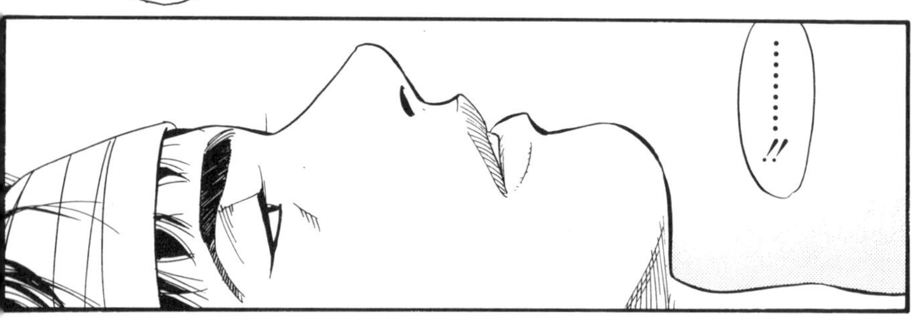
………!!

괜찮아….
다행이 큰 부상은 아니다.
KEY WEST
JamSessi

정말 괜찮을까요, 감독님?
피가 꽤 나왔잖아요.
응?!

아니, 이놈들! 왜 여기들 있는 거냐?! 위에서 얌전히 시합 보고 있지 못해!!
지금 타임 아웃이에요.
그래서 내려왔어요.

타임아웃은 1분이면 끝이야.

자아, 어서 자리로 돌아가지 않으면 좋은 플레이를 놓치고 말아!!

…지금은 저 꼬마들의 감독을 맡고 있지.
풍전고교 3학년들을 내가 가르쳤다고 하니까 보고 싶다고 난리들을 쳐서…
여기까지 데리고 온 거란다….

녀석들…, 인상까지 쓰면서 열심히 보고들 있더구나.

경기장 입구

……

선…

선생님!!
초등학교 에서도 런 & 건을 …?!

여전히 공격 8에 수비 2…로 하고 있다.
아직 런 & 건이라 부를 수 있는 정도는 아니지만 말야.

어쨌거나
즐겁게들
하고 있지.

즐겁게들 하고 있지….

와아아아아아

우와아아아아!!
파악
파악
파악

투
웅
리바운드!!

으라차!!
우와―!!
또 저 녀석이다!
빨강머리, 강백호!!
계속해서 리바운드를 전부 잡아내고 있어!!
저 녀석, 리바운드에 있어선 진짜 천재인지도 몰라!!
어떻게 저렇게 점프할 수 있는 거지?!
빌어먹을!!

팍
정대만!!
우웃!
에게
주는 척
하면서!
멈칫
!!

휙
SHOHOKU
10

들어갔다!
와아아아
말도 안돼!! 백호가…!!!
우와아!!
아
아
아
아
으라차차차!!
이것으로 10점 차!!
남은 시간 2분!!
승부는 결정났어!!
무명의 북산이 A랭크인 풍전을 이기고 말았어!!
북산
풍전
91
81

역시 난
천재야

삐 삐―익
교체 입니다!!
남훈!!
응!?
!!
늦었군, 수박머리 녀석!!
방금 이 천재가 시합을 결정짓는 슛을 성공시킨 참이었다!!
하 하 하 하 하
TOYOTAMA
4
SHOHOKU

#214 승리에의 집념

북산
풍전
SEIKO
2ND

자,
아직 2분
남았다!!
마지막
까지
방심하지
마라!!
와
와
와
와

네엣!!

괜찮아?
남훈….
그래,
미안….

!!

동준아!
노선생님이
와 계셔.

와-
와-
와-
좋았어. 난 북산의 4번 같은 센터를 목표로 할 거야.
뭐어?!
그럼 난 11번!!
나도!!
넌 리바운드를 열심히 연습해야 하니까 10번을 목표로 해!!

뭐? 머리 빨갛게 하는 건 싫은데….

으잉…?

잠깐, 얘들아! 내가 가르친 건 풍전이다.
아아, 맞다.
풍전이었지!!

좋아.
모두들
의리로
풍전을
응원하자!!
와—
그래!!

의리…
이 녀석들이…

풍—전!!
와—
와—
풍—전!!

남은 시간 2분에
10점차….
포기하기엔
아직 이르다.
남훈, 강동준!!

풍—전!
풍—전!

언젠가부터
난 가장
중요한 것을
잊고 있었다.
노선생님이
항상
말씀하셨지.

농구는 좋아하나…?

게임
그 자체를
즐긴다는 걸…

계속 잊고
있었던 것
같다….

포기하기엔
아직 일러.

이기자!

이기는 쪽이
100배
즐거우니까
말야!!

풍—전!!
디펜스!!
와아아
북산!!
풍—전!!
와아아
북산 1:56 풍전
91 SEIKO 2ND 81

좋았어…!!
이젠 시간이 빨리 지나가만 주면…!!

……

…풍전은 이 시합을 상당히 이상한 상태에서 싸워왔어요….
선수들도 어딘가 집중력이 없는 모습이었고….

그런 그들의 얼굴 표정이 바뀌었어요.

100% 게임에
집중하기
시작했군요.

……!!

이럴 때
기적이라는
것이
일어나는
거예요.
!!

만약
우리 선수들이
이겼다고
방심하고
있다면…!!
……
SHOHOKU
HIGH SCHOOL
BASKETBALL

이겼다…!!

끝났어…!!

남훈!!
아앗!!
3점슛이다!!
북산
1:49
풍전
SEIKO
91
2ND
84
부활한 건가?!
들어갔다!!

이 바보 같은 놈!!
!!
돼어….
이것으로
추격할 수
있다.

퍼
억
으윽?!

서태웅, 이 얼간이!!
……
헉 헉
앗! 벌써 녹초가 됐군!

왜, 왜, 왜 때리는 거야? 저 수박머리 녀석의 마크는 내가 아니잖아!!
서태웅이란 말야!!

스크린 아웃은 어떻게 된 거야!!

아….

이 바보같은 놈! 벌써 이겼다고 생각하는 거냐?!
상대는 매년 전국대회 8강에 드는 강한 팀이다!! 얕봐선 안돼!!

이건
전국대회
다!!
절대
방심해선
안돼!!

움 찔...
......

알았나!!
한순간
이라도
방심하지
마라!!

……
흠칫
휴우.

네, 주장!!
알았다, 치수야!!

예에!
헉
헉

윽….
빌어먹을…, 고릴라 녀석!!

그래….
앞으로 한 게임 한 게임이 전국제패를 향한 길인 거야.
한번이라도 지면 바로 길은 사라져버려.
게다가 상대는 모두 우리보다 유명한 팀들이다.

방심이라니… 당치도 않아!!
미안. 치수야..

실제로 남훈은 연속으로 3점슛을 성공시켜 오사카 지역 NO.1 스코어러다운 모습을 확인시켜주었다.
와아아
북산
58.1
풍전
91
SEIKO
2ND
87

……
……

우와아,
굉장해!!
4번!!
우와아
난 풍전의 4번을 내 목표로 할래!!
앗, 치사하게! 나도야!!

풍-전!!
와-
와-
……
풍-전!!

그래-! 잘한다, 남훈!!

자아, 4점 차다!!
따라 잡을 수 있어!!

하아
우리가 질 것 같으냐!!
여기서 우리들의 투지를 보여주자!
하아
물론이죠!!
하아
헉
헉
그래!!
하아
하아
……

이야얏, 리바운드는 내 거다!!
우오옷!!

절대
줄 수
없다!!
으라차차차!!
우오
같은
편이다,
같은
편!!
!!
!!

북산
0.0
풍전
SEIKO
91
87
2ND

와아아아아아
……
하아
하아
하아
하아
하아
하아
카나가와현
대표
북산고교
2회전
진출—!!

손 놔
너나 놔, 고릴라
얘들아~ 끝났어. 가자

정대만
전국대회 첫출전인 북산고교는…
고전 끝에 1회전에서 풍전고교를 물리쳤다.
산왕공업
북산
풍전
91
87
그리고….

#215 산왕
고등학교
농구계의
정상에
군림하는
산왕공업에
도전하게
된 것이다.
SANNOH
BASKETBALL

SANNOH

북산…인가!!
산왕공업…!
…………
자아, 이제 어떻게 할까…?

안선생….
……!
노선생…!
각 경기장에선 1차전이 차례 차례로 끝나가고 있었다.
와
와
와
삐
와

지학고교
103(64—27 39—31)58 황서공업
대영고교
81(44—22 37—26)48 문상

상성
79 (42—14 / 37—20) 34 원구
문익
74 (37—19 / 37—21) 40 정산
포안
93 (51—42 / 42—16) 58 양대

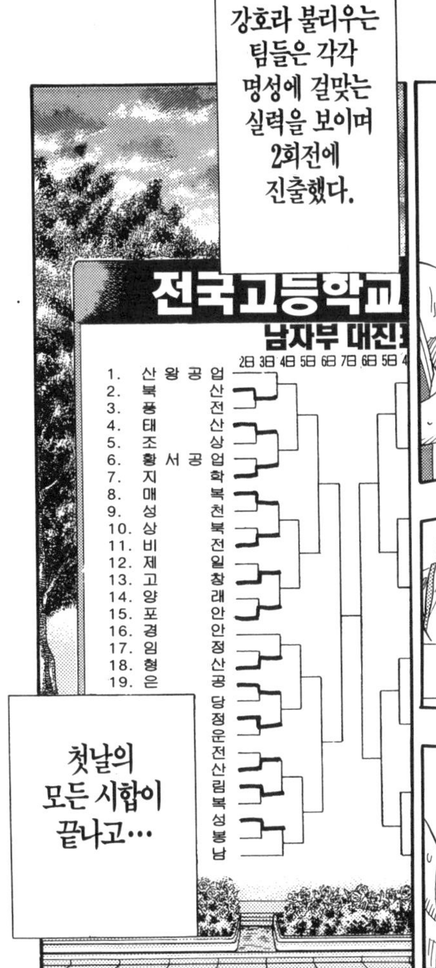

강호라 불리우는 팀들은 각각 명성에 걸맞는 실력을 보이며 2회전에 진출했다.
전국고등학교
남자부 대진표
2日 3日 4日 5日 6日 7日 8日 5日
1. 산 왕 공 업
2. 북 산
3. 풍 전
4. 태 산
5. 조 상
6. 황 서 공 업
7. 지 학
8. 매 복
9. 성 천
10. 상 북
11. 비 전
12. 제 일
13. 고 창
14. 양 래
15. 포 안
16. 경 안
17. 임 정
18. 형 산
19. 은 공
당
정
운
전
산
림
복
성
봉
남
첫날의 모든 시합이 끝나고…

출전고교 59개팀 중 27팀이 모습을 감췄다!!

우하하하
하하하핫!!

와글 와글
그래,
맞아!!
축 승리
by 박경태
우리들은
A 랭크인
풍전을
이겼으니까
AA 랭크가
되는 건가!!
이젠
아무도
우릴
C 랭킹
이라고
얕보지
않겠지!!

왜 그러셔?
고릴라도
기뻐
죽겠으면서!
바보 녀석,
그렇게
으스댈 것
없다.
이제
1회전을
통과한데
지나지 않아.
!
그
말은 즉,
산양과도
막상막하
!!
산왕이다.
응?
주장!
전화 왔는데요.

S체대
이감독이네.

이감독님!!

뭐야??
스카우트
제의냐?!

우선
1회전 돌파
축하하네!!
하지만
진짜 승부는
내일이네,
치수군.

굉장해…!!
우 와아
S체대라면…
대학
넘버원
팀이잖아!!
?

해냈구나, 치수야…!!

좋겠다….
나한텐 왜 연락이 안오지?!

산왕은 강하다…!!

広島 뚱보 호텔
우선 자기와 매치업 되는 상대를 잘 봐둬라.
무엇이 특기이고,
무엇이 약한지.
움직임의 패턴,
버릇,
코트 위에서의 성격 등등….

SANNOH BASKETBALL
잘 보고 연구하도록 해라.

삑

자신의
상대를
각각…
와
야
야
야
아

해부하는
거다!!

역시 도감독님 이시군요!!

상대가 무명의 북산이라고 해도 연구와 대책을 게을리하지 않는군요.
그 한 치의 방심도 용서 않는 철저함이 올해도 산왕의 우승을 예감케 하는데요?!

방심이라뇨. 당치도 않습니다. 아무리 강하다고 한들 어린 고등학생이니만큼….
어떤 일이 일어날지 모르니까요.

그런 만큼 토너먼트 첫게임은 아주 중요하지요.
그럼 이만….

역시 전국제패를 위해서는 저런 주도면밀함이 필요한 거군요….
"토너먼트 첫게임은 아주 중요하다…" 라고?!

바꿔 말하면 북산전
어디까지나 첫게임
지나지 않는다라
뜻으로 들리는군…
……!!

TAKAHASHI

新天地
元祖
お好み村
広島名物
SHINTENCHI
OKONOMIMURA

자네가 아직 감독 생활을 하고 있는지는 몰랐네.
대학 감독을 사임했다는 건 들었지만 고교팀에서 가르치리라곤…!!

내가 2년만
풍전에 있었더라
동기생 대결
벌어질 수도
있었군…
대학동기.
아쉽구먼!!

……

선수들에게
산왕의 비디오를
보여줘야 하나
말아야 하나…?!

보여주면
되잖나?
뭘 그리 고민을
하는 게야.
덩치는
커 가지구선.
아니,
고민까진
아냐.
그냥 물어봤을
뿐이네.

훗….
뭐,
고민한다
해도 무리는
아니지.

레벨이
너무 달라.

그건 선수들을
믿고 안 믿고의
이전의 문제야.
비디오를
보여준 것으로
자신감을
잃어버리게 된다
해도 이상할 건
없지.
하지만….

자네 선수들이 그렇게 약하겐 보이지 않던걸.

…물론이지.
홱!

뭣!! 산양의 비디오라고?!
산왕이라니까!
몇번말해야 되냐. 바보~!!

흠….
이걸 본 후에 내일의 대책을 생각하도록 합시다.

좋았어!! 그리고 산왕을 꺾고 AAA 랭크가 되는 거군요. 영감님!!

홋홋홋!

물론 그럴 생각이네.

広島 뚱보호텔
……!!
도감독님,
지금부터 또
연습인가요?!

예….
잠깐 OB들을
상대로 연습하기로
했거든요….

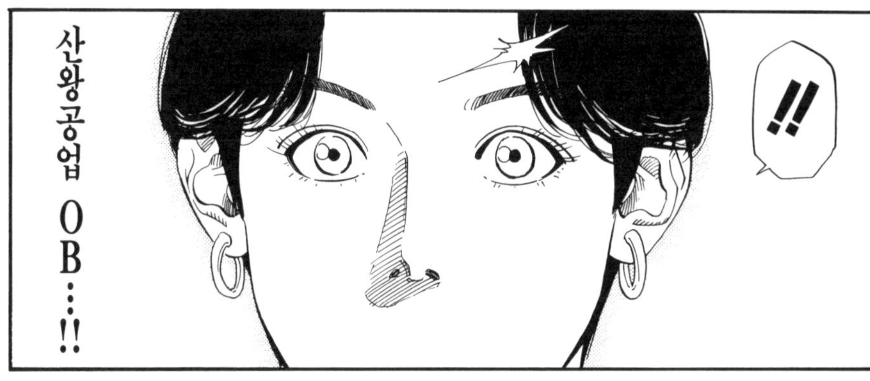
!!
산왕공업 OB…!!

이 선수들의
거의가
대학
올스타급이잖아
…!!

가상 북산…
이라 할 수 있지요.

가상 북산이라고 하기엔 너무 강하다구요!!

……

……

최강
산왕공업
….

북산이 이길
가능성 따윈
1%도 남겨놓지
않을
셈이군…!!

SLAM
슬램덩크 완전판 프리미엄
DUNK

#216 왕자

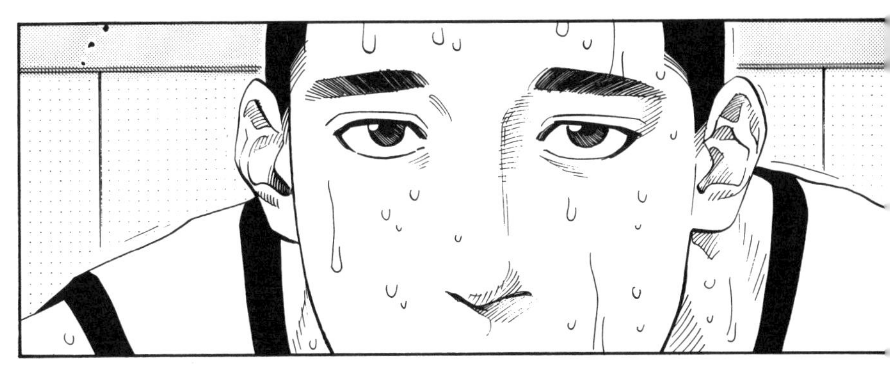

山王工高

KAINAN

常勝
山王工高
4
14
13

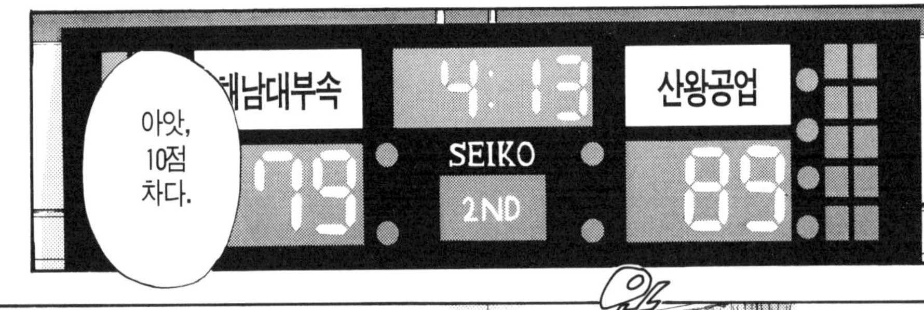
아앗, 10점 차다.
해남대부속
4:13
산왕공업
79
SEIKO
2ND
89

와아
아
아
이거 지겠는걸. 애늙은이네가 …!!

응?
……….

왜 그래? 태섭군! 얼굴이 하얗게 떠선 말야.
좋겠다! 풋내기는….

오잉…?!
쓸데없는 부담을 느끼지 않으니까 말야!!

이걸 보고도 산왕의 힘을 모르니 말야.

이것이 작년 전국대회 준결승이에요.
해남은 여기서 졌지요.

작년의 해남은 올해 못지 않게 강했었다.
아니, 높이 등을 생각해보면 올해보다 강했을지도….

그 해남에게 벌써 15점차라니….

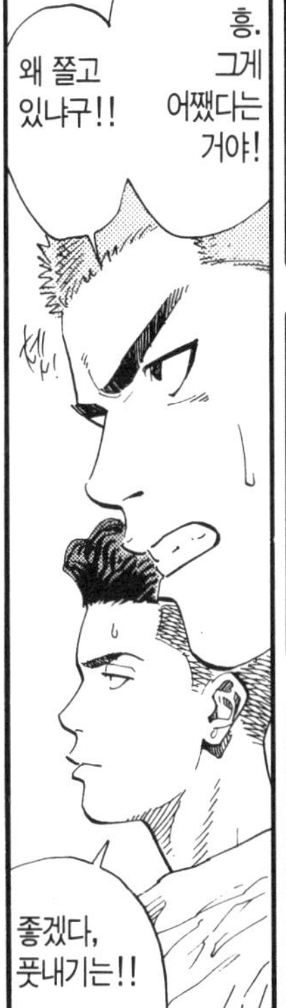
흥. 그게 어쨌다는 거야!
왜 쫄고 있냐구!!
좋겠다, 풋내기는!!

뭐라고, 송태섭!!

……

하지만 작년 비디오라면 올해는 없는 선수들이 여기에 많겠군요.
맞아.
나도 그걸 말하고 싶었어!!

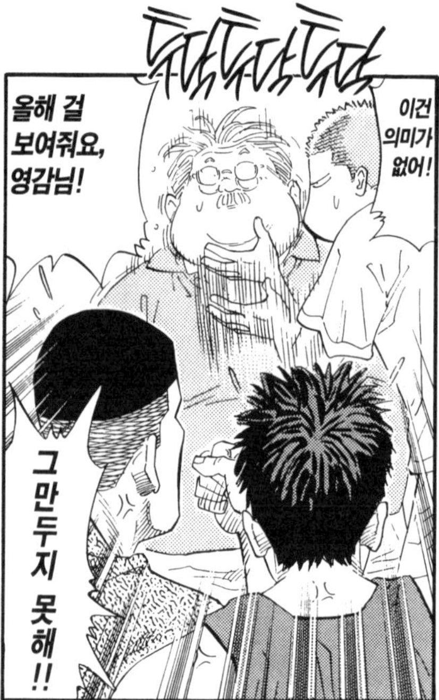
두닥두닥두닥
이건 의미가 없어!
올해 걸 보여줘요, 영감님!
그만두지 못해!!

우왓, 위험해!

굉장한 수비야. 이 포인트가드….
이정환이 아닌 다른 가드였으면 벌써 빼앗겼을 거야.
엄청나~

그는 올해도 있네.

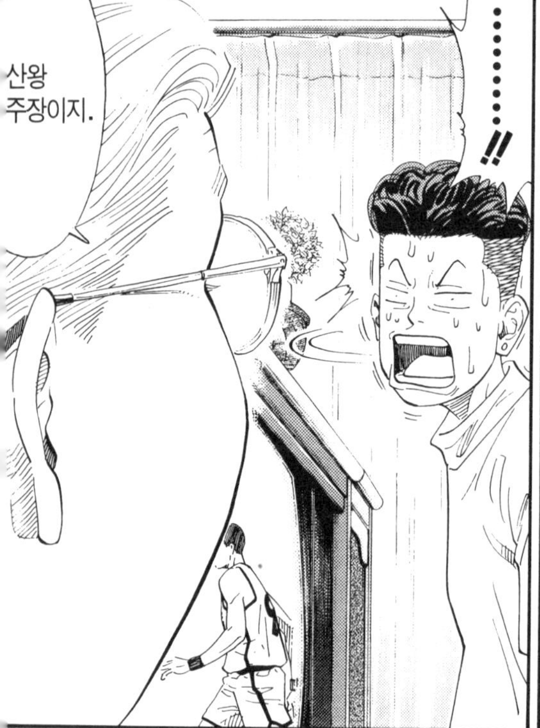
……!!
산왕 주장이지.

…………
내가
이 녀석과
매치업이라고…!!

……….
선생님….

잠깐
바람 좀
쐬고
올게요.
홱
으응?

태섭아!
송태섭!

태섭군….
겁먹었군!!

레벨이 너무 달라.

작년
스타팅멤버가
한 명 남아
있는 건가…?!
모두가
태섭이를
지원해서
어떻게든….

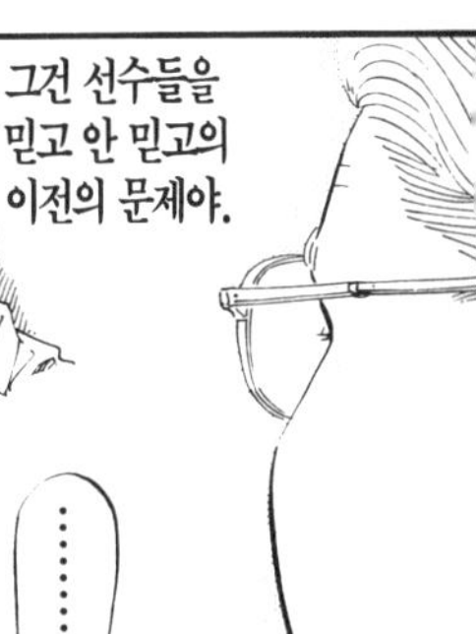
그건 선수들을
믿고 안 믿고의
이전의 문제야.
비디오를
보여준 것으로
자신감을
잃어버리게
된다 해도
이상할 건
없지.
……….

스타팅 멤버는 3명 남아있어요.

3명!!

14번 센터.
우와…, 엄청난 덩치야!!

그런데도 스피드와 테크닉을 갖추고 있어요.
※5번부터 3번까지 다 커버할 수 있는 모양이에요.

그도 올해 3학년이에요.
고릴라하고 닮았는걸!
떡판 고릴라.

※5번~3번: 5=C(센터), 4=PF(파워포워드), 3=SF(스몰포워드)

그리고
이 에이스
플레이어….
13번!

……….

스피드와… 테크닉…!

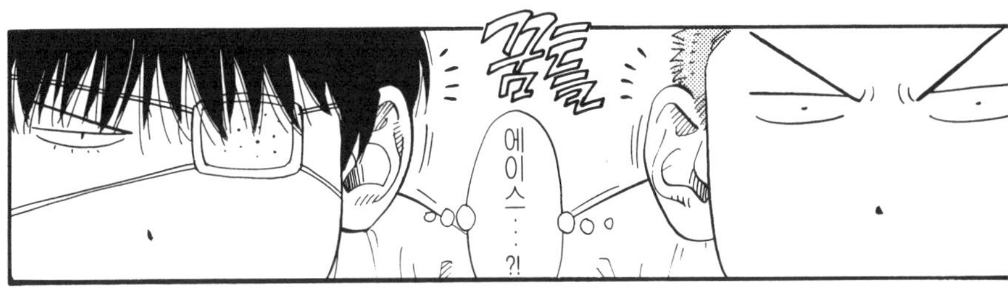
꿈틀
에이스…?!

그렇군….
틀림없이 이 녀석이 이 팀에서 가장 센스가 있어.
설마 이 녀석도… 인가요?
와
와
이때는 아직 1학년 이었어요.

1학년!!
똥?!
나도
1학년인데?

멍청이.
휴-우
보면
알아!
뭐라구?!
이게!!

우리하고
같은
학년인가…!

그렇군요….
G · F · C에 각각
초고교급 선수들이
있다는 얘기군요…!!
그래요….
그리고
그들에겐
무엇보다….

작년 전국대회의
토너먼트를
끝까지 이겨낸
'경험'이 있어요.

이 차이는
생각보다
큰 거예요.
하긴….

그 차이를
보일 정도로
산왕을 괴롭힐 수
있다면의
얘기지만요.

영감님…, 혹시 우리들을 못 믿겠다는 건가요?!
또 있어요.

……!!

농구에 조금이라도 흥미가 있는 사람이라면 그 이름을 모르는 사람이 없을 정도로 산왕이라는 이름은 유명하고
인기가 있죠.
山王工高
내일은 아마 관중석이 만원일 겁니다.

헤헷
좋잖아요! 난 구경꾼이 많아야 실력 발휘가 되는 타입이거든요!!
우리가 산왕을 상대로 선전하면 관중들은 좋아하며 박수를 쳐줄지도 몰라요.

북산
산왕공업
그리고 마침내 산왕을 쓰러뜨릴 상황에까지 밀어붙였다고 한다면….

그렇게 되면
어떻게 될까…?
갑자기 관중들은
산왕을 응원하게
될 겁니다.
무명의 북산이
이겨서는
안된다는
분위기가 되고
말 거예요.
……!!

설령 한때의
선전에 박수를
보낸다고 해도
뭐야…?!
사람들의
마음속 깊은 곳에선
왕자 산왕공업이
1차전에서
사라지는 걸 바라지
않을 거예요.

삐!
와

……!!

와아아
해남대부속
0.0
산왕공업
83
SEIKO
2ND
113
아

해남대부속
0.0
산왕공업
83
SEIKO
2ND
113

와
아
아

전국제패를 달성하고 싶다면…
이젠 무슨 상황이 벌어지더라도 동요되지 않는….

단호한
결의가
필요한
겁니다!!

전국제패….

……
흠…

물떼새장
물떼새장
물떼새장 명물요리
멧돼지 전골
오리 전골
꿩 전골
민물고기 요리.

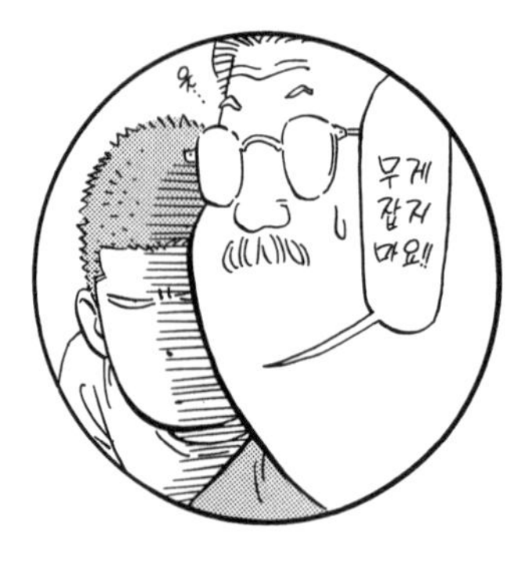
웃…
무게 잡지 마요!!

#217 새벽의 천재

8월 3일
산왕공업과의
대전 당일
벌떡
서서히
아침이 밝아올
무렵….

천재는
잠에서
깨었다.
약간
자랐군….
치카
치카

지—악
힐끔..
부스럭
부스럭
......
득...
득...
쿨ㅡ.
쿨ㅡ.
......
쿨ㅡ
쿨ㅡ
흐뭇ㅡ

……
……
아아!!
잘못했어요!!
쿨ー
쿨ー
쿨ー
……
……!!

어제 저녁
소연이에게서 전화가 왔다.
물
떼
새
네에, 네에.
허둥지둥
여보세요, 물떼새장 입니다.
철컥
!!

소연이?!
오늘 첫시합 승리 축하해!!

지금 송희네 친척집에 있어.

아아, 송희 말이구나!!

백호도 6득점 했지! 축하해!!

겨우 6점…?
그것밖에 못 넣었나?

내가 말했지…?! 백호가 성장하는 것만큼 전국제패에 가까이 다가서는 것이라고….
소연아…!!

겨우가 아냐, 대단한 거야!
만약 그 6점이 없었다면 졌을테니까. 4점차 였잖아?!

계속되는 시합으로 거칠어진 전사의 마음을…
찌잉
이렇게 따뜻하게 감싸주는 구나…♡

내일은 최대강호인 산왕공업과의 시합이지…?
문제 없어!!

소연아…, 내일이야말로 이 천재가
천재인 이유를 보여줄게…!!
쿠구구궁

하지만 그 녀석들은… 산왕의 비디오를 보고 아무래도 쫄아버린 듯 했다.
휘———융
오잉?!

언제나 큰소리를 탕탕 치던 고릴라도…
…하고 침만 삼킬 뿐이고….

영감님까지 평소와는 달리 인상을 쓰고 있다.
단호한 결의!

여우 녀석은 잔뜩 겁을 먹은 탓인지 설 수조차 없는 모양인지,
네놈은 밤바람 필요없냐?
멍청이!
이 말밖에 하지 못했다.

결국 모두들 밤바람을 쐬러 가는 상황이…!!
잠깐 바람 좀….

……

山王工高
13

서태웅군!!
서태웅군!!

손님이에요!

……!!

……!!
짠!
수박머리의 역습이다…!!

재미있게 되었는걸….

…미안.

안돼!
수박머리 녀석이
저렇게
약하다니!!
?
하긴 저 녀석은
시합중에도
모질지가
못했어!!

그때
공중 무릎차기를
정확히
성공시켰다면
태웅이 녀석이
지금 여기에 있지도
못할텐데…!!
그걸
저 여우
녀석이
….

피해버리고 말았어.
이 격투기
천재의 눈은
못 속이지.

……

……
느릿…
호오~,
저 녀석
이제 보니
상당히
악질인걸…!
좋아….
움찔
이 약을 바르면
부었던 곳이
조금
가라앉을지도
몰라.
독?!
우리집,
약국하거든.
꽤 유명해~!
욱―!!
그런 쓸데없는
거짓말은
필요없어!!
들켜버리잖아!

아아,
고마워….
!!

바보다….
역시…
걸렸어…
우리나라
최고의
플레이어가
된다고
했었지…?

산왕의
정우성을
쓰러뜨리면
될 수
있을지도….

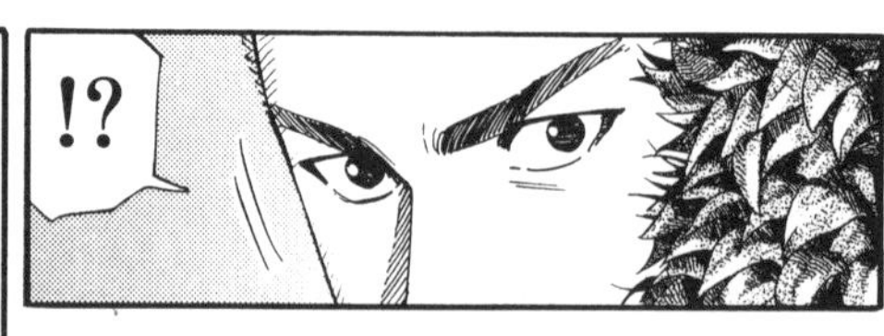
!?

그래.
뭐야…?

그 녀석이
고교 넘버원
플레이어다.

!!

그 여우 녀석이
그렇게까지
야무진 꿈을
꾸고 있었던가…!
우리나라
최고의
플레이어
라고…?!

그 전에
내가 네놈을
쓰러뜨려주마.
기다려라,
서태웅!!

앗!

이럴 수가…!

벌써 이루어진 건가, 저 두 사람?!
설마…!!

어째서 내 상대는 항상 괴물 같은 놈만 걸리는 건지….

상양전에선 김수겸, 해남전에선 이정환!
그리고 이번에는 산왕의 주장이라니….

게다가 모두 나보다 10cm이상 큰 녀석들이야.
빌어먹을….

따악
아얏!
!!
한나…
무슨 소리 하는 거야?!
김수겸과 맞붙었을 때 한 말을 잊어버린 거야? 태섭아!!
…… !!
저 녀석을 쓰러뜨리고 내가 톱이 된다!!
하하핫! 아직, 아직 멀었어. 태섭군!!
고거슨 뱀독이다.
꽈악
강백호!!

왜 백호 네 녀석이 갑자기 튀어나오는 거야?!
한나에게… 어떻게 위로를 좀 받으려고 했었는데…
하하하, 쏘리 쏘리!
그 강한 해남에게도 압승….
우리가 산왕에 도전하기엔 아직 이른 건가…?!
물떼새장

바보 같은 소리 하지마!!
새장

앗!

……………
초등학교 때….

처음으로 샀던 주간 바스켓볼 표지가….
주간 바스켓
最強 山王
山王工高
4
OCT

우와아…!!
굉장히 강렬한 인상을 주었어.

最強·山王
전국대회
SPECIAL
10
OCTOBER
山王工高
4

그건… 나도 기억하고 있다.
……!!

그래서인지…
전국제패를 상상하면…

항상 결승 상대는 산왕이었다!!

……!!

그래서 이겼냐?
상상 속에선….

……
조—용
왜, 왜, 왜 말을 못해?!

……

어차피 이렇게 된 거 믿어보자.
반드시 이긴다고!
우리가 처음 농구부에 들어왔을 때를 생각해봐.

지금까지
남아있는 건
그때 진정으로
전국제패를 믿었던
녀석들뿐이잖아.
물떼새장
물떼새 다리

이봐,
고릴라!
여기에도
있다.

전국제패를
믿는
천재가….

짹짹짹짹!
짹짹!
짹짹!

찰
싹

백호가 성장하는 것만큼
북산이 전국제패에 가까이 다가서는 거야.
현시점에서 산왕에게 지고 있다면
내가 그만큼 성장하면 되는 거다.
타도 산왕은 나 강백호가 해낸다!

……
그래! 발라! 온몸에 듬뿍!
질퍽

한편
전날 밤
산왕공업…

상대가 아무리
무명의 북산이긴 하지만
첫게임인만큼
도진우 감독은

대학 올스타 급의
OB들을 모아
가상 북산(이라고 하기엔
너무 강한)팀과 시합을
시켰다.
그러나….

상대가
되지
않았다!!
#218 북산 철저해부

정말
강하군!
너희들….
저…

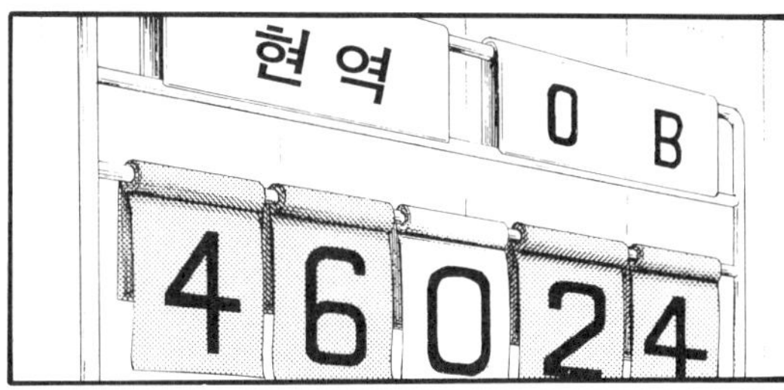
현역
OB
46024

아니,
어쩌면….
지난 10년 동안의
산왕팀 중에서도
최고라는
평가는
틀림이 없어.

믿을 수
없어….

……

역대 최강의
산왕공업
일지도…!!
수고하셨습니다,
선배님!!

이명헌 등
현재 3학년이
입학한 이래 산왕은
무패가도를
달리고 있다!!
이 최강
산왕을 이끄는
캡틴이
이명헌….

잠깐
인터뷰 해도
될까?
좋아용!

이미 고등학교에
적수는 없는 듯한
느낌인데….
라이벌이라고
생각하는 팀
있어요?
없어용!

뻥이에용!

전부
라이벌
이에용!
……

지금 주장이
저 말투에
재미를 붙이고
있어서요.
워낙
특이한
녀석
이거든요.
특이한
주장이네
…!

그나저나
북산은
어떤 팀이죠?
뭐?

선배들을
가상 북산팀으로 해서
연습시합을 하긴 했지만
비디오로 본 거랑은
좀 다른 것 같아서….
그건 그렇지.
어차피
가상 팀이고
대학생들
이니까….
적어도 훨씬
다듬어지지
않았다고 할까!

……

선생님,
다시 한번
비디오를 봐도
될까요?
응?!

후!
그럴 것
같아서
예선전
시합부터
모아두었다.

북산이
선배들보다
못하다는 보증은
없으니까!!

좋아,
가자!!

물떼새장
물떼새

…………
저 녀석들에겐 방심이나 자만심 같은 건 없죠.

이제 완전히 사라진 거다.
북산이 파고들 허점 따윈…

이게 효과가 있을까…?!
터벅 터벅
아냐, 반드시 뭔가 이길 방법은 있을 터….
그들도 같은 고교생이다.

사각은 없단 말인가….
상왕공업
코치 • 도진우
번호 선수 학년
이명헌 ③
5 정성구 ③
6 최동오 ③
7 신현철 ③
8 김낙수
9 정우성

13
4

…………

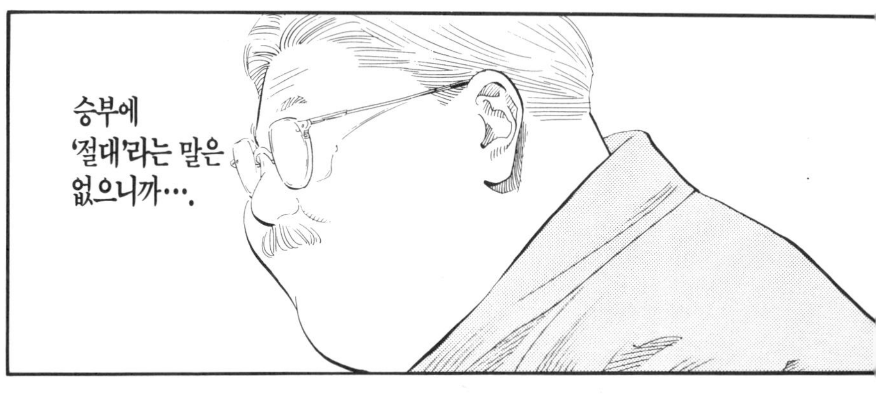
승부에
'절대'라는 말은
없으니까….

広島 뚱보호텔
승부에
'절대'라는
말은 없다!!

라는 말을
곧잘 사용합니다만
매년….
올해의
우리 팀에게는
말할 필요가 없어요.

그 녀석들이
그것을 가장
잘 알고
있습니다.

어? 어디
갔었어요,
하진 선배?
노래방
갔었죠?
치사하게….

쿵
어이구!
저 애들을
좀 본받아!!
아얏!

채치수….

197 cm 93 kg…
예선과 풍전전까지 1시합 평균… 25. 3점, 12.3 리바운드.
블로킹 4. 0개.

술렁…
이야…, 대단한 기록이군.
블로킹이 평균 넷이라는 것이 특히 엄청나.

카나가와현 베스트 5에도 뽑혔다.
공수에 있어서 북산의 가장 중요한 인물이지.

상당한 녀석이야…. 지금까지 무명이었던 게 신기할 정도야.
뭔가 약점은 있냐? 현철아?

……
……

찾았다.
정우성!
말해봐.
우선 오펜스.

골밑에선
상당히 강하지만
공격 패턴이
정해져 있어요.
로우
포스트에서의
공격만 막으면 아마
완전히 봉쇄할 수
있을 거예요.

음….
슈팅 지역도
좁아.

골밑에서만
멀어지게 하면
된다는
건가!!

디펜스도
마찬가지예요.
골대로부터
좀 떨어진 곳에서
승부해서
끌어내기만
하면 돼요.
현철이형은
투박한 얼굴에 비해
슈팅 범위도
넓으니까
문제없어요.

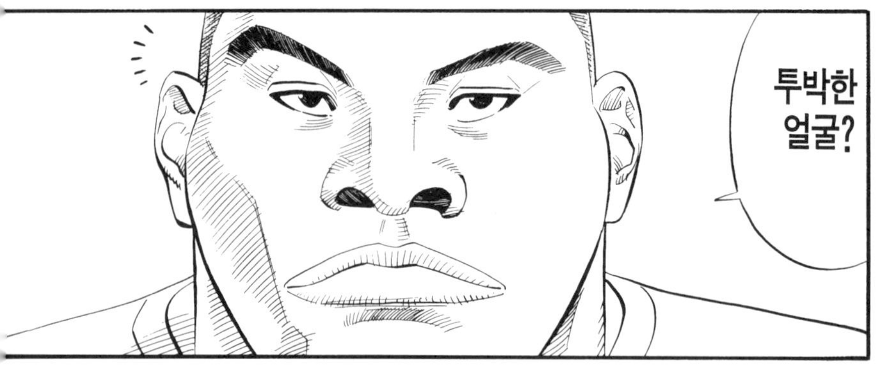
투박한
얼굴?

뭐야?! 얼굴과 슈팅 범위가 무슨 관계가 있다는 거냐!!
너 이 자식, 산왕 농구부 창설 이래 최고의 미남이라 불린다고 눈에 뵈는 것도 없냐?!
여자한테서 팬레터도 오고 말야!!

……
앗, 울잖아.
금방 운다니까용!
그렇게 안 생겨 가지고….

시끄러워요! 정말 아프단 말예요!!
무식하게 힘만 세가지고!

아-악!! 항복, 항복, 항복, 항복!!
금방 울어용!

서태웅!!

이 녀석,
널 꼭 닮았어.
Victor

오늘 풍전과의
시합 때도
생각했었는데
….
우성아!

음….
정면승부를 좋아하는 게 닮았군용!!

그리고 제멋대로인 플레이 스타일도!!
하하하
……

평균 30득점은, 30. 3득점의 해남의 신준섭에 이은 지역 2위다.
신인왕과 베스트 5에도 뽑혔고.
서태웅이라 ….

이 녀석…
조만간 엄청난 거물이 될 겁니다.

너랑 닮았다고 얘기해서 그런 거냐?!
제발 잘난 척 좀 마라!!
요전엔 너 어떤 여자한테서 티셔츠도 받았지?
다 봤어 임마!

서태웅은
너한테
맡긴다용!

1대1로 정면에서
도전해오는
타입이다.

마음껏
승부해봐라.
예.

송태섭.
PG

168cm….
명헌이가 싫어하는
작고 재빠른
타입이잖아.
오늘 보니까
스피드와 순발력이
보통이 아냐.
엄청 빨라!!

괜찮아.
외곽슛이
없으니까….
빠져나가지
못하게 조금
떨어져서
수비하면 돼.

168대 180….
이 정도면 미스매치
라고도 할 수 있어.
좋아, 명헌이의
포스트 플레이도
공격 패턴에 넣자.
바로 그거다.
선생님!

내일은
득점도
해야 한다,
명헌아!!
네.

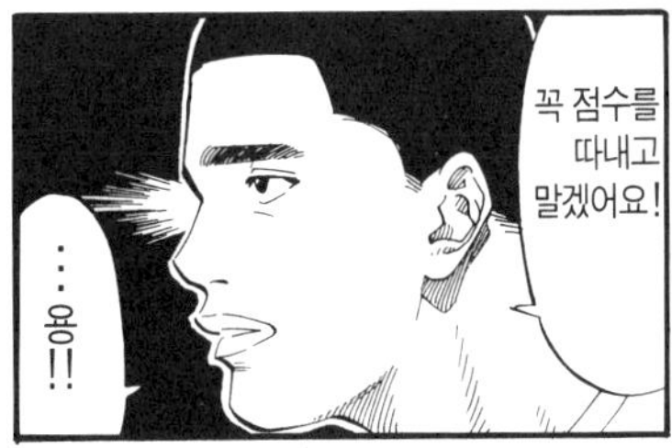
꼭 점수를
따내고
말겠어요!
…용!!

병인 것
같아….

정대만.
슈터.

깨끗한 폼이다.
모두가 보고 배웠으면 싶을 정도야.

하지만 이 선수는 공백이 있어서인지 플레이의 기복이 아주 심하다.
그것이 결점이다.

내일은 컨디션이 최고일지도 모르잖아요.
그렇다.

그래서 말인데…, 낙수야…!!
네가 내일 스타팅 멤버다.

네…!!
공백 때문인지 체력도 그다지 없다.

너의 끈질긴 디펜스로 확실히 마크하면…
뿌리치려고 필사적으로 움직일 것이다. 하지만 뿌리칠 수 없겠지.

아무것도 못한 채 정대만은 전반에 녹초가 될 거다.

강백호.
…………
카메라를 보잖아?!
알아 차렸나?
앗, 다가온다.
퍽
악!!
…어째서 이 강백호란 놈이 스타팅멤버가 된 거지?
모르겠어!
리바운드가 강하기 때문이겠지.
내일은 내가 눌러버리 겠어.
이런 풋내기한테 리바운드를 뺏길 순 없지.
풋내기슛-!!
SHOHOKU

아―앗!!

……
일단…
방심은
금물이다….

일단은….
広島 뚱보 호텔

물떼새장

응…!

19 SLAM DUNK(完)

이길 수
있을까~
음냐

SLAM
슬램덩크 완전판 프리미엄
DUNK

슬램덩크 완전판 프리미엄 19

2007년 9월 23일 1판 1쇄 발행 2023년 2월 14일 2판 3쇄 발행

•

저자 ······ TAKEHIKO INOUE

•

발행인 : 황민호
콘텐츠1사업본부장 : 이봉석
책임편집 : 김정택/장숙희
발행처 : 대원씨아이(주)

•

서울특별시 용산구 한강대로 15길 9-12
전화 : 2071-2000 FAX : 797-1023
1992년 5월 11일 등록 제 1992-000026호

•

•

ISBN 979-11-6944-815-4 07830
ISBN 979-11-6944-793-5 (세트)

•

• 잘못 만들어진 책은 구입하신 곳에서 바꾸어 드립니다.
• 문의 : 영업 02-2071-2075 / 편집 02-2071-2116